KU-082-815

Méduse Beach

SÉRIE KID PADDLE
DANS LA BIBLIOTHÈQUE VERTE

Mission quasiment impossible
Menace arachnide
Les évadés de la colo
Train-train fantôme
Record maximum
Lapin-garou
Méduse Beach

D'après Midam

Méduse Beach

Adaptation : Claude Carré

© Éditions Dupuis, 2005.
© Hachette Livre, 2005, pour la novélisation de la présente édition.
© Éditions Dupuis, 2005 pour les illustrations des personnages.
© Dupuis Audiovisuel, 2005 pour les illustrations des décors.
D’après la série télévisée “KID PADDLE” adaptée des albums
de bande dessinée, parus aux Éditions Dupuis.
Une coproduction Dupuis Audiovisuel, M6,
Spectra Animation, Canal J, RTBF.
En collaboration avec Teletoon Canada.
Histoire originale de Stéphane Chapuy, Philippe Pierre-Adolphe.
Story-board d'Élie Klimos.
Maquette : Françoise Michaux, Dupuis.

TU VOIS, KID, POUR FAIRE
UN DESSIN ANIMÉ C'EST TRÈS SIMPLE :
TU INVENTES UNE HISTOIRE PUIS TU LA
ESSINES UNE PREMIÈRE FOIS DE FAÇON RAPIDE
DANS DES PETITES CASES : ÇA S'APPELLE
N STORY-BOARD. ÇA REPRÉSENTE CE QUI DOIT
APPARAÎTRE SUR L'ÉCRAN DE TA TÉLÉVISION.
S ESQUISSES, AVEC TOUTES LES INFORMATIONS
NÉCESSAIRES À LA MISE EN SCÈNE,
SERVIRONT POUR RÉALISER
LE DESSIN ANIMÉ.

Je me présente : mon nom est Paddle, Kid Paddle.

Avec mes potes, Horace et Big Bang, on forme une sacrée bande au collège. On n'est peut-être pas les plus avancés en cours, mais on a une spécialité : les idées ! On déborde d'idées, on en a des tonnes, au moins douze par minute !

Des idées, il nous en vient à n'importe quel moment, et n'importe où.

Même une journée au bord de la mer ne nous décourage pas, alors que d'autres, plus sensibles, déprimeraient à mort à l'idée de se retrouver à barboter au milieu de mille baigneurs aux trois quarts nus, les pieds dans l'eau, en plein cagnard.

C'est mon papy qui a eu l'idée de nous emmener faire trempette, Carole

et moi. Pour lui faire plaisir, on a accepté, mais à deux conditions : qu'Océane puisse venir avec Carole, et que mes deux inséparables copains m'accompagnent.

Après une heure et demie de car, on est arrivés à destination. À l'odeur de morue échouée qui nous a sauté à la gorge, il n'y avait pas de doute, on était bien au bord de l'Océan. Papy est descendu le premier en aspirant à pleins poumons l'air vif du large. Il tenait sous le bras un transat replié ainsi que quelques magazines de mots croisés. Ça suffirait à son bonheur

jusqu'au soir.

— Et hop ! a-t-il crachoté. À nous les joies simples de la plage : tranquillité, coquillages, crustacés et mots croisés…

Puis Océane et Carole sont descendues

du car à leur tour, en posant délicatement la pointe de leurs jolies tongs à fleurs sur les marches métalliques. Elles avaient déjà enfilé l'uniforme : maillots de bain une pièce, paréos, chapeaux de paille et sacs de plage débordant de larges serviettes fluos et de tubes de crèmes à bronzer. En étirant ses petits bras maigres au soleil, Carole

s'est exclamée :

— Humm ! On va s'éclater !

— C'est trop fun, la plage ! a minaudé Océane en écho.

De notre côté, on avait un look nettement plus décalé : je portais un grand short verdâtre de l'armée et un vieux tee-shirt de papa, trop large et délavé. Big Bang, lui, coiffé d'un casque colonial, un stylo multifonctions glissé derrière l'oreille, avait passé une saharienne en pur coton. Suspendus à sa ceinture, il avait une gourde en peau de chèvre, des lunettes de glacier et un étui à jumelles. Sa devise, c'est : « On

n'est jamais trop prudent ». Carole n'en revenait pas. En nous contemplant, elle a secoué la tête, effondrée :

— Mais c'est pas possible, cette tenue ! Vraiment, c'est la honte…

D'un geste sec, j'ai tourné ma casquette pour en réorienter la visière. Il n'était pas question que je me prenne des coups de soleil sur la nuque.

— Il faut se méfier du côté obscur de la plage… ai-je expliqué en jetant un regard méfiant autour de moi.

— Mouais… a enchaîné Big Bang, rayons XXX, *crabus carnivorus*, oursins mutants, hydrocarbures, les plages

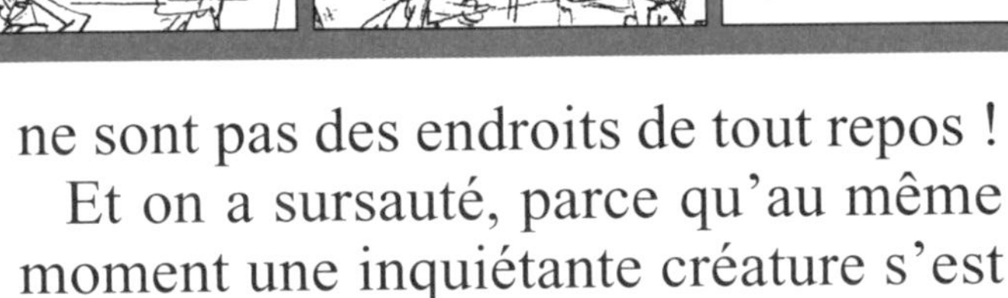

ne sont pas des endroits de tout repos !

Et on a sursauté, parce qu'au même moment une inquiétante créature s'est écroulée derrière nous, dans un grand bruit mou :

— CHBLUOOOOF !

C'était Horace. Il venait de se mélanger les pieds en descendant du car et avait atterri sur le ventre, ceinturé de sa gigantesque bouée Rikiki le canard. Avec son bob aux bords tombants et ses lunettes noires larges comme des assiettes, il ressemblait à une grosse mouche.

— Désolé, a-t-il bourdonné en agi-

tant les bras, mais je ne peux pas me relever tout seul.

On l'a remis sur pied et on est allés se choisir un endroit pas trop moche au bord de l'eau. Papy nous a accompagnés, en cherchant tout de suite un petit coin à l'écart. Il avait besoin de calme pour faire ses mots croisés. Quant aux deux super copines, elles avaient disposé leurs serviettes à côté de la cabine surélevée des maîtres nageurs. Prudentes. Mais pour Horace, Big Bang et moi, c'était assommant, genre mortel. J'ai soupiré :

— Big, s'te plaît, tu peux me passer

tes jumelles ?

J'ai exploré les environs. La mer était plate, la plage tarte, le ciel nuageux et les baigneurs tristes. Des surveillants ratissaient le sable pour en retirer les papiers gras et quelques vacanciers somnolaient sur des transats. Pour couronner le tout, on était à deux pas d'un parc Rikiki, et à part Horace, qui avait commencé à sucer un tube de crème à bronzer, ça ne passionnait pas grand monde.

— On est pris au piège, ai-je grincé. Un vrai désert technologique.

Soudain, dans mes jumelles, sont

apparues trois têtes cauchemardesques : trois fois la même trogne grossie de Rikiki le canard, barrée trois fois du même sourire niais. Épouvanté par cette vision insoutenable, je n'ai pas pu m'empêcher de crier :

— AAAAH !!

En abaissant mes jumelles, les mains tremblantes, j'ai découvert Horace en train de me brandir sous le nez trois tickets d'attraction à tarif réduit. Il sautillait sur place, fou de joie :

— Hé, regarde, Kid ! Tu ne vas pas en croire tes yeux ! Ton papy nous a acheté tu sais quoi ? Des entrées pour le parc Rikiki !!

2

On était mal. Océane avait récupéré le tube de crème solaire et commençait à en tartiner les épaules de Carole, assise sur sa serviette.

— C'est ça, les aventuriers ! s'est moqué ma sœur. Allez faire joujou sans nous ; les tourniquets qui font coin-coin, c'est plus de notre âge !...

Papy est venu vers nous, et nous a affectueusement poussés vers l'entrée du parc Rikiki.

— Allons, allons, ne tardez pas ! Amusez-vous ! Profitez-en avant la grosse chaleur… La barbe à papa à 35 degrés, c'est vite indigeste… Moi, pendant ce temps, je vais m'installer un peu plus loin pour faire une petite grille…

C'était trop nul, mais on ne pouvait pas le lui dire. Quand il a tourné le dos,

on se serait bien attardés jusqu'au soir, mais déjà Horace nous entraînait. Avant de franchir les portes de ce paradis pour enfants sages, j'ai entendu la petite voix de souris d'Océane qui demandait :

— Eh, Carole, t'as vu le maître nageur, là-bas ?… On le connaît, non ?

— Mais oui, t'as raison : c'est Piotr,

un copain du quartier… Je savais qu'il devait faire un stage de moniteur de vacances, mais je ne m'attendais pas à le trouver ici !

Après, je n'ai plus rien entendu parce que la musique du parc Rikiki m'a

coulé dans les oreilles comme une brouettée de chamallow fondu. Big Bang et moi, on n'avait jamais rien entendu de si déprimant.

Et ce n'était que le début. Ce parc, c'était un cauchemar pour ados, une chambre des tortures pour des types comme nous, adorateurs de *Black Death Revival* ou de la série des *Éventreurs fous du clair de lune*. Déjà, il n'y avait quasiment personne, et la plus trash de toutes les attractions, c'était un manège Rikiki qui tournait à douze à l'heure en moyenne et treize dans les descentes.

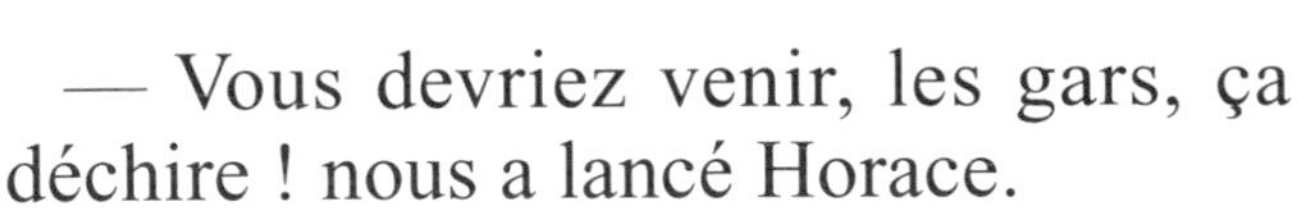

— Vous devriez venir, les gars, ça déchire ! nous a lancé Horace.

Il avait sauté sur un des canards, mais comme il était toujours dans sa bouée, il n'avait pas réussi à poser ses fesses sur le siège. Il donnait l'impression de léviter. Ça ne l'empêchait pas d'enfoncer sa tête à intervalles réguliers dans une énorme masse de barbe à papa bleu fluo.

Pour essayer de se passer les nerfs, on a été traîner près du chapiteau des jeux d'arcade. Ce n'était pas gagné. Devant une console, le joystick avait été remplacé par le manche d'un filet à papillons. Le jeu s'appelait « Butterfly

Fantasy », et il fallait juste, avec les filets, attraper les papillons qui s'affichaient sur l'écran.

— Kid, a fait Big Bang en secouant la tête, réveille-moi, tu veux…

— Désolé, vieux, mais tu ne dors pas,

ai-je grimacé ; jamais vu un jeu aussi nul… Même un pingouin manchot pourrait gagner les doigts dans le nez…

Alors Big Bang s'est enfin ébroué, secouant l'ennui qui nous avait englués. Il a ôté le stylo multifonctions coincé derrière son oreille et, après avoir jeté un œil alentour, s'est faufilé derrière la grande console, en enjam-

bant des tas de câbles entremêlés. Il m'a dit, à voix basse :

— Une petite re-programmation s'impose.

Il a démonté le cache de la machine et s'est mis à bricoler à l'intérieur, pendant que je montais la garde. Au moment où il finissait, Horace est arrivé, tout juste descendu de son manège hyper décoiffant. Il avait encore du mal à marcher droit.

Il a stoppé net devant la machine, parfaitement halluciné :

— Waouh ! « Butterfly Fantasy » ! Mon jeu préféré !

Puis il a craché dans ses mains et s'est emparé du filet à papillon.

— Hé ! hé ! J'adore quand les petits papillons virevoltent entre les fleurs…

Là où il a été surpris, c'est quand il a vu déferler sur l'écran une méchante tribu de Blorks volants ; ils se précipitaient sur les papillons, les écrabouillaient d'un coup de massue et les gobaient tout chauds, un véritable carnage. Horace a eu un haut-le-cœur ; la barbe à papa ne passait plus, visiblement, et sa main tremblait sur le manche de son filet.

— Glurps ! a-t-il hoqueté, qu'est-ce

que c'est que cette m… monstruosité ?

— Ah euh oui, ai-je fait d'un ton distrait, on a juste un peu modifié les règles du jeu… Le joystick n'est plus un filet à papillons mais une massue ! Vas-y, tape dans le tas !

Au début, il a un peu hésité, et puis il a fini par s'exciter sur le joystick. Des bouts d'ailes arrachées voletaient dans tous les coins. J'étais sûr qu'après un bon stage, Horace deviendrait comme nous : un accro des jeux gorissimes. Il a tellement déliré sur le manche que la machine s'est mise à vibrer et que quelque chose a implosé au fond de

l'écran, comme une super nova dans le décor fleuri. Ce que j'avais pris pour des bouts d'ailes de papillons, c'étaient des volutes de fumée noire qui s'envolaient, agitées par le vent du large. Big Bang a porté un doigt à ses lèvres, songeur.

— Euh… Je n'ai peut-être pas tout rebranché exactement comme c'était avant, a-t-il avancé.

Alors, d'un mouvement concerté, nous avons jailli tous les trois hors du stand en hurlant :

— ALERTE ! AU FEU !

Au même moment, papy, qui était installé sur son transat, à l'abri d'une

dune isolée, à cinquante mètres de là, cherchait désespérément une définition dans son magazine :

— « Pas de fumée sans ces trois lettres »… Crénom d'une pipe, je ne vois pas !

C'est en nous entendant crier que la lumière lui est venue :

— Mais oui, bien sûr, c'est le feu…

Pas de fumée sans F.E.U. ! Hé ! hé ! Ça démarre fort… Merci les enfants !

Heureusement, les procédures d'alerte étaient au point dans ce parc. Le surveillant de plage, une espèce de gros malabar super musclé, a surgi et a

vidé tout le contenu carbonique d'un extincteur sur la bécane qui se consumait. On a refait une timide apparition sous le chapiteau ; ça sentait le Blork grillé et le papillon en papillote. Horace, lui, n'en revenait pas ; il pensait que c'était son talent de chasseur qui avait explosé la machine :

— La classe ! a-t-il fait en nous prenant à témoin ; vous avez vu ce que j'ai fait ? La console n'a même pas pu suivre mon rythme !...

J'ai délicatement tapé sur l'épaule du surveillant :

— C'est vrai ce que dit mon copain :

il a pulvérisé le record ! Normalement, il a droit à un lot...

Le surveillant a calmement reposé son extincteur et a attrapé une de ses grosses tatanes. Il l'a soulevée au-dessus de sa tête.

— T'as raison, bouffon ! Et tu vois mon espadrille ? C'est du 45. Alors un conseil : déguerpissez sur le champ si vous ne voulez pas que je pulvérise autre chose !!

On a suivi son conseil.

3

Le soleil brillait, Océane et Carole étaient aux anges ; elles allaient enfin pouvoir prendre quelques couleurs et frimer avec leur tout nouveau bronzage. Nous, à quelques encablures de là, et faute de mieux, on essayait de construire une tête de Blork en sable, avec des pelles et des seaux. Super journée.

Après avoir fini de nettoyer son coin de plage, Piotr, l'apprenti sauveteur, est venu planter le bout de ses orteils au bord de la serviette des filles. Il a fait :

— Salut ! Content de vous voir !

— Salut, Piotr ! a répondu Océane ; c'est sympa de te trouver là…

— Je vois que vous êtes venues en bonne compagnie, a lâché Piotr en nous désignant d'un revers de pouce.

— Tu l'as dit, a soupiré Carole ; mais

qu'est-ce que tu veux, on ne choisit pas sa famille !

J'ai profité de ce moment pour leur faire un grand coucou amical, envoyant un nuage de sable fin dans les yeux d'Horace. Sur un ton méprisant, Piotr nous a désignés :

— Vous en avez de la chance, de fréquenter des « aventuriers de la plage perdue » !

— Tu parles ! a rétorqué Carole ; je les côtoie juste parce qu'il y en a un qui a le même père que moi, c'est tout !

Ma sœur m'adore ; c'est juste qu'elle ne sait pas trop comment le montrer.

N'empêche qu'elle n'était pas si ringarde que ça, notre tête de monstre marin en sable humide ; on l'avait sculptée bouche ouverte et Horace s'est installé dans la mâchoire inférieure, avec sa bouée. Il faisait mine de prendre une voix terrible :

— Je suis le monstre des dunes qui dévore les petits enfants ! Gniark gniark !

Il ne croyait pas si bien dire. La mâchoire supérieure du monstre de sable s'est brusquement effondrée sur lui, comme une huître folle qui claque des dents. Le seul truc qui sortait

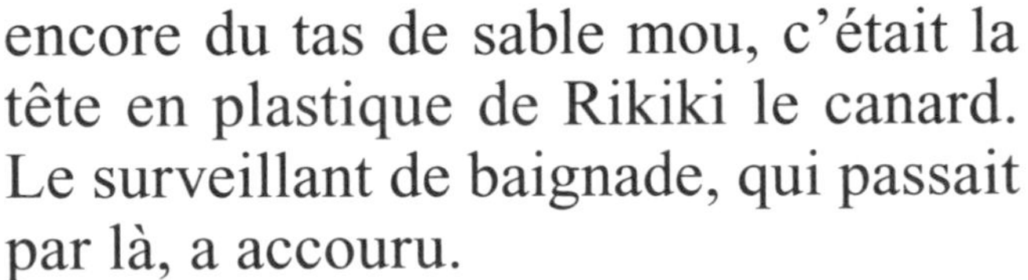

encore du tas de sable mou, c'était la tête en plastique de Rikiki le canard. Le surveillant de baignade, qui passait par là, a accouru.

— Tiens, tiens ! s'est-il moqué ; on dirait que le monstre des dunes a fait une nouvelle petite victime !

D'une poigne vigoureuse, il a extrait Horace de son monticule ensablé, en le tenant par la bouée.

— C'est bon, je peux respirer, maintenant ? a demandé Horace, les paupières fermées.

En l'emmenant vers les premières vagues, le surveillant a ironisé :

— Oui, mais pas trop longtemps, parce que là tout de suite, un petit bain s'impose !

Et il l'a propulsé dans les flots, comme un sac de moules. Du côté des filles, Piotr a fait son petit commentaire :

— C'est vraiment une bande de petits comiques, vos copains!... Ça fait combien de fois qu'ils redoublent la même classe ?

Et il a escaladé son mirador de surveillance, en ricanant. À voix basse, mais suffisamment fort pour que je l'entende, Carole nous a menacés, d'un air mauvais :

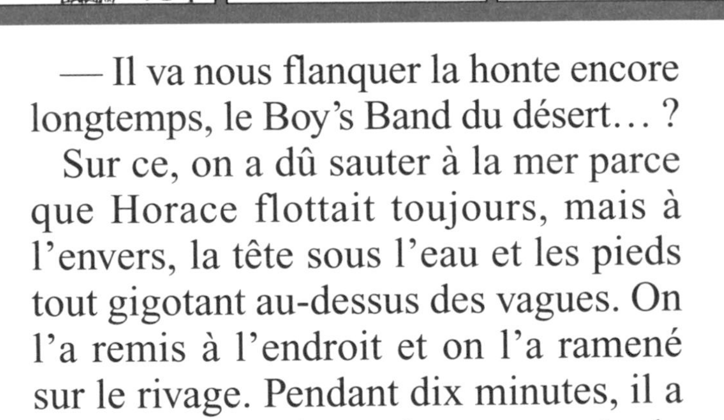

— Il va nous flanquer la honte encore longtemps, le Boy's Band du désert... ?

Sur ce, on a dû sauter à la mer parce que Horace flottait toujours, mais à l'envers, la tête sous l'eau et les pieds tout gigotant au-dessus des vagues. On l'a remis à l'endroit et on l'a ramené sur le rivage. Pendant dix minutes, il a vomi tantôt de l'eau de mer, tantôt du sable et tantôt de la boue lorsque c'était trop mélangé. Il commençait à vraiment devenir lourd, ce séjour balnéaire ; il fallait qu'on passe à l'attaque.

— « Faites pas ci, faites pas ça !... » ai-je râlé ; on ne va quand même pas

rester toute la journée là, étalés comme des crêpes, à cramer au soleil...

— Notre génie créatif est comme une bouteille à la dérive sur un océan d'incompréhension, a soupiré Big Bang.

À ce moment-là, j'ai aperçu l'objet

qu'Horace avait ramené de sa séance en apnée et gardait serré contre lui. C'était une bouteille en verre, avec un parchemin roulé à l'intérieur. Je l'ai attrapée pour la regarder de plus près.

— T'as trouvé ça où ?

— C'est pas moi, c'est mon canard... s'est défendu Horace, croyant qu'il avait fait une bêtise.

J'ai débouché la bouteille et j'ai déroulé le papier gras. Il y avait bien quelque chose écrit dessus. J'ai lu à haute voix : « Oh ! toi, voyageur qui trouvera ce vieux parchemin, prépare-toi à faire fortune. En suivant pas à pas cette carte, tu trouveras le trésor de toute une vie de piraterie. »

C'était signé de Valentine la Sanguine, la femme pirate !

Il y avait un plan détaillé du secteur, sur la feuille, et un itinéraire. On en est restés bouches bées. J'ai tendu le message à Big Bang pour expertise. Il a extrait une sorte de coton tige de son stylo multifonctions et en a promené l'extrémité sur la feuille de papier. Le bout de coton blanc a viré au bleu.

— Oui, oui, oui… l'a-t-on entendu marmonner, le pH sur le papier révèle des traces de graisse de phoque…

Comme celle qu'utilisaient les pirates pour se réchauffer au milieu des mers froides. Ce document est in-con-tes-ta-ble-ment authentique.

Il n'était pas question de rester inactifs une seconde de plus. Non seulement on venait de trouver un bon plan pour s'occuper, mais en plus la fortune était peut-être au bout de l'action ! En

comptant soigneusement le nombre de nos pas, on est partis dans la direction indiquée, en file indienne. À un moment, on est passés tout près de l'endroit où papy réfléchissait à ses définitions de mots croisés. Ça commençait à fumer sec et il radotait dans sa barbe :

— « Double râtelier », en six lettres.

Double râtelier en six lettres ?… Non, décidément, je ne vois pas.

Un éclair soudain m'a fait cligner des yeux ; j'ai tourné la tête. Du haut du mirador, une paire de jumelles était braquée sur nous. Derrière les jumelles,

il y avait la tronche de cake de Piotr et, embusquées dans l'ombre, Carole et Océane. Elles avaient beau dire, elles ne pouvaient pas nous perdre de vue un instant ; en fait, elles balisaient, elles avaient trop peur qu'on se perde !

Petit à petit, on a quitté le bord de mer et on s'est enfoncés dans les dunes. Il faisait de plus en plus chaud. Des brumes de vapeur s'élevaient du sable et la fonction thermomètre du stylo tout-en-un de Big Bang indiquait 110° Fahrenheit.

— À part dans la vallée de la Mort, a-t-il dit tout ruisselant, il n'y a pas un

endroit au monde où la température s'élève autant.

— Chuuut ! ai-je soufflé ; 2822, 2823, 2824…

Ce n'était déjà pas facile de se concentrer avec tous ces crétins de grillons qui chantaient à tue-tête. Je gardais les yeux fixés sur la carte au trésor et je savais que le but se rapprochait. Il était temps. Les tongs d'Horace commençaient à fondre comme du vieux chewing-gum et Big Bang devait faire l'essuie-glace sur ses lunettes pour essuyer la sueur qui y ruisselait. J'ai murmuré, la langue un peu pen-

dante :

— On y est presque, les gars : 2997… 2998… 2999… 3000 pas… et voilà !

J'ai triomphalement levé les bras en arrivant à l'endroit stratégique.

J'attendais que Big Bang fasse une photo, mais il n'y a même pas pensé. Il était déshydraté comme un squelette de chameau et s'est versé sur la tête tout le contenu de sa gourde.

— Il est où, le trésor ? a demandé Horace en regardant par terre autour de lui.

Il y avait deux ou trois détails que je

n'avais pas eu le temps de leur expliquer et qui étaient indiqués sur la carte. Je me suis éclairci la gorge.

— Euh… hem, oui … En fait, heu… Maintenant qu'on a fait le plus difficile, il va falloir creuser un peu. Il est marqué que le trésor a été caché à deux cents pieds sous terre !

— Ça fait combien en tongs ? a

demandé Horace, qui tenait à la main une longue traînée caoutchouteuse informe.

Big Bang a froncé les sourcils. L'idée de se mettre à creuser quelque chose avec cette chaleur ne l'emballait pas

plus que ça. Il a activé une nouvelle fonction de son stylo, en disant :

— Un petit sondage sur la qualité de la silice s'impose avant de creuser sans méthode.

Il a planté son stylo dans le sable

d'un geste sec, mais son forage s'est très vite cassé les dents sur un obstacle inattendu, qui a fait Klang ! Je me suis agenouillé à l'endroit de l'impact et j'ai enfoncé ma main dans le sable.

Ma main s'est refermée sur une sorte de tube. Comme il résistait, j'ai forcé et un long tuyau s'est petit à petit dégagé du sable. Il zigzaguait sous la dune, et

en continuant à tirer dessus, je suis remonté jusqu'à son point de départ : le bord d'une décharge sauvage, pleine de vieux pneus, de carcasses de voitures, de vieilles baignoires rouillées et autres cadres de bicyclette démantibulés. Le premier choc passé, j'ai cherché à comprendre.

— J'ai comme l'impression qu'on

s’est fait rouler, les gars… Voyons un peu ce parchemin…

Big Bang me l’a tendu et je l’ai observé à contre-jour, face au soleil. En filigrane, est apparu le logo des poupées Queenie. J’ai grincé :

— Depuis quand les pirates écrivent-ils sur du papier Princesse Queenie ?

Gêné, Big Bang a essayé de trouver une excuse :

— Ce serait donc un simili vrai-faux ? Et les taches de graisse, alors ?

Horace, qui n'attendait que ça, a passé ses doigts sur le papier et a goûté. Après s'être léché les babines, il a rendu son verdict :

— Je dirais qu'il y a un arrière-goût de noix de coco, comme dans la crème solaire de ta sœur.

J'ai senti une poussée de rage me monter le long de la colonne vertébrale comme un convoi de fourmis rouges. Mon cerveau s'est vidé de sa substance comme un trou noir avant l'implosion. Ma revanche serait astronomique, ma réaction fulgurante, ma vengeance implacable. Au sommet du mirador de surveillance, les jumelles nous observaient toujours. Quand Piotr a vu que je l'avais repéré, elles se sont abaissées brusquement ; l'instant d'après, il rejoignait les deux filles, l'air innocent. Ils se dirigeaient vers le parc à pédalos. Mais c'était déjà trop tard ; je venais de rayer le mot « pitié » de mon vocabulaire.

5

Pendant l'heure qui a suivi, on s'est déchaînés. Big Bang a fait fumer son cerveau, j'ai dirigé les travaux et Horace a suivi nos instructions. En fixant des pédaliers de VTT à l'intérieur d'une vieille baignoire, on a inventé une sorte de pédalo futuriste, profilé comme un catamaran de l'espace. Une chambre à air de roue de camion suffirait à faire flotter l'ensemble, et pour le look, on n'a eu qu'à racler le fond de vieux bidons de peinture. Camouflé derrière une carcasse de bagnole, avec les jumelles de Big Bang braquées sur le large, j'ai encouragé mes troupes :

— Dépêchez-vous, les gars ! On va leur faire goûter au côté obscur de la plage.

Dans le double cercle de ma longue

vue, j'ai fait une capture d'écran du pédalo ennemi, occupé par Piotr, Carole et Océane. Pendant que ces deux dernières pédalaient en soufflant, leur frimeur de copain, assis à l'arrière, explorait les environs à l'aide ses propres jumelles. L'air était tellement clair et la visibilité si parfaite que j'ai pu lire sur leurs lèvres ce qu'ils disaient.

— Pfff ! Quel macho, celui-là... râlait Carole.

Piotr, lui, commençait à s'inquiéter :

— Tiens, c'est marrant, je ne vois vos copains nulle part.

En l'entendant, les deux filles ont

arrêté de pédaler. La mer leur a soudain paru trop calme, comme si une menace silencieuse venue de l'horizon allait leur sauter dessus et les avaler toutes crues. Là-dessus, elles n'avaient pas complètement tort. Carole s'est emparée des jumelles et les a braquées sur la décharge. Mais on était déjà loin.

— Comment ça, nulle part ? a-t-elle hurlé.

C'est vrai, c'est idiot ; on est toujours quelque part. Et là, on les avait en ligne de mire. Piotr, le premier, a aperçu la gueule béante, aux dents comme des rasoirs, qui fonçait sur eux par l'arrière.

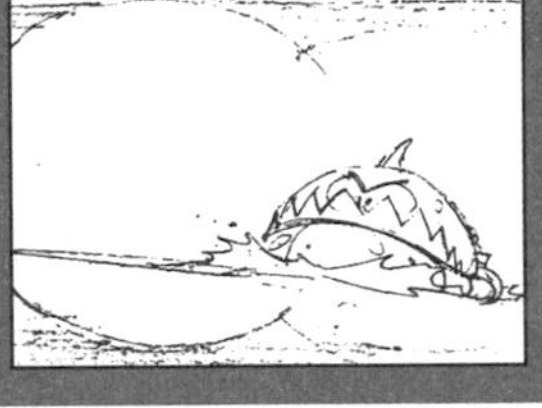

Ses cheveux ras se sont dressés sur son crâne d'œuf. Il a bégayé :

— UN REQ… UN REQ… UN REREQ…

Il n'a pas pu finir. En se retournant, les deux filles, elles, n'ont eu qu'un mot à la bouche :

— HIIIIIIiiiiiii !!

Honnêtement, on avait bien bossé. En

quelques coups de pinceaux, on avait donné à notre pédalo une belle tête de squale. L'illusion était parfaite. Et jamais je n'aurais cru que Big Bang et Horace seraient capables de pédaler aussi vite ; on fendait les flots et de

l'écume morte retombait en gerbe derrière nous.

Même le surveillant de plage, perché sur sa chaise, a été bluffé par notre pédalo-maquillage. Il s'est mis à beugler dans son mégaphone :

— UN REQUIN ! UN REQUIN ! SORTEZ DE L'EAU, TOUS !! REQUIN EN VUE !!

Ça a bien fait les affaires de papy, en attendant. Il avait fini par s'endormir sur ses définitions, mais les hurlements l'ont réveillé juste à pic :

— Requin ? Mais c'est bien sûr ! « Double râtelier », c'est R.E.Q.U.I.N. !

Hé hé !

On se rapprochait du vaisseau-cible, comme un exocet en vue d'un porte-avions. On allait bientôt pouvoir passer à l'abordage ; j'ai encouragé Horace :

— Accélère ! On va leur jouer le remake de *Baignade sanglante en mer Rouge IV*, de Kurt Maldor !

Du coup, Piotr s'était mis à pédaler,

et essayait furieusement de regagner le rivage pour échapper au requin tueur qui les avait pris en chasse, Océane, Carole et lui. Les filles l'encourageaient du mieux qu'elles pouvaient :

— Mais allez ! Dépêche-toi !!

Alors, le surveillant-chef, qui avait fait un stage chez les commandos de marine, n'a écouté que son courage : il a bondi sur son pédalo de course. Tel un chevalier du Moyen Âge, une planche de surf comme bouclier et une longue gaffe de bois en guise de lance, il a foncé pour nous intercepter.

— Tiens bon, Piotr ! a-t-il crié : je vais éloigner ce monstre !

En moins d'une minute, il était sur nous, et se mettait en travers de notre route. Debout sur les flotteurs de son navire à pédales, il nous a harponné d'un grand coup de lance, pile dans le

museau du requin peint. La chambre à air a été transpercée et c'est seulement à ce moment-là qu'il nous a reconnus, les yeux exorbités :

— QUOI ? ENCORE VOUS ?

Le trou dans le caoutchouc a fait un grand PSHIIIITTT ! et le souffle de la fuite nous a propulsés en zigzag vers le rivage. Les dents de la mer se sont dégonflées d'un coup ; notre requin s'est mis à ressembler à une limande. On a fait un atterrissage forcé sur une dune, la tête dans un château de sable, à quelques mètres du transat de papy. Lequel, imperturbable, se posait tou-

jours le même genre de questions, en mordillant sauvagement son crayon :

— « Nom propre de barbare devenu nom commun », commençant pas un V. Euh… Viking, non, c'est toujours un nom propre. Wisigoths… Non, ça commence par W…

En fonçant vers nous, le surveillant de plage avait tout l'air enragé :

— Venez voir un peu ici, bande de vandales ! a-t-il hurlé.

— Vandales ? a repris papy, V.A.N.D.A.L.E.S ? Mais oui, c'est exactement ça ! Ça rentre dans ma grille, comme une horde de Huns dans un village gallo-romain !…

6

Il ne nous a pas ratés, le surveillant-en-chef-des-maîtres-nageurs-de-la-plage-qui-tue. Il nous a armés de grands râteaux pour passer au crible les deux cent vingt kilomètres carrés de la station balnéaire. Et pas question de jouer les tire-au-flanc ; monté au sommet de sa chaise à échasses, il ne nous quittait pas des yeux. En plus, il nous flanquait la honte devant tout le monde en gueulant dans son mégaphone :

— Vous vouliez trouver le trésor des dunes ! Eh bien, allez-y, faites des fouilles, profitez-en ! Ramassez toutes les capsules, les noyaux, les mégots ! Je veux que la plage soit aussi propre qu'un court de tennis…

Et puis Piotr, qui revenait du poste de secours, est venu le trouver, un fax tout frais à la main. Carole a essayé de

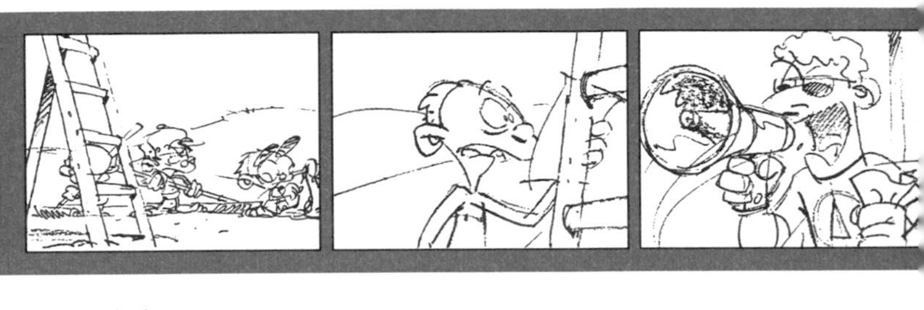

l'intercepter :

— Tu as le temps de venir te baigner, Piotr ?

Son pote maigrelet a donné le fax au surveillant chef et a secoué la tête, l'air désolé.

— Impossible, les filles ! Les gardes-côtes signalent l'arrivée d'un banc de méduses… On doit donner l'alerte…

— Des méduses ? a grimacé Carole en se tournant vers Océane. Beurk… Et cette fois, ce n'est même pas un coup de Kid !!

Le surveillant a tourné son mégaphone vers les baigneurs et a hurlé à la

cantonade :

— BAIGNADE INTERDITE ! JE RÉPÈTE : BAIGNADE INTERDITE ! BANC DE MÉDUSES ! BANC DE MÉDUSES EN VUE !…

Horace, Big Bang et moi, on s'est

regardés, l'œil brillant d'excitation ; enfin un fait divers digne de nous, un rebondissement vraiment visqueux.

Même papy en a profité ; on l'a entendu s'exclamer, ravi du coup de pouce :

— Méduse, pour « Cloche de gélatine salée » ? Mais oui… Ça rentre pile poil ! Je vais finir par la remplir, cette grille !

Déjà, le surveillant venait vers nous, en poussant devant lui un conteneur à roulettes. Il nous a tendu trois épuisettes, en expliquant :

— Vous allez me donner un coup de main, les enfants. Dès que vous verrez des bestioles échouées, vous les ramasserez avec ça, pour éviter tout contact. Ce sont des méduses « œufs au plat ».

Sans danger pour l'homme, leurs décharges urticantes sont tout de même très désagréables.

C'était une idée qui m'allait assez. J'aime bien les animaux. Je préférais cent fois ça plutôt que de continuer à

jouer les éboueurs de plage.

— Finie l'archéologie ! ai-je clamé ; et vive la zoologie !...

Tandis que Piotr et le surveillant chef plantaient des panneaux d'interdiction au bord des vagues, on a vu arriver les premières bestioles. Molles, roses et translucides, elles ressemblaient à de gros bonbons acidulés. Mais là, pour le coup, elles auraient vraiment piqué la langue ! Après les avoir tâtées du bout de nos épuisettes, on a commencé à les attraper et à les glisser dans le conteneur.

— Je dirais même plus, a précisé Big

Bang en retenant un haut-le-cœur : une expérience crypto-zoologique. Parce que c'est tout de même bizarre, les méduses !

Il voulait parler des bruits immondes que faisaient les bestioles capturées en s'écrasant les unes sur les autres : Splouoch… ! Horace, lui, ça lui ouvrait plutôt l'appétit. Il s'est souvenu :

— On dirait comme quand j'avais fait tomber mon flan au caramel du huitième étage chez ma tante Gisèle. Sauf que là, y'a pas de caramel.

Et moi, ça m'a rappelé un truc que j'avais lu il y a quelque temps.

— Marrant que tu dises ça, Horace. Car c'est presque comme cela que sont apparues les méduses sur terre... C'était il y a très longtemps, sur les rives ténébreuses de la mer Noire...

Je me suis mis à leur raconter ce qui

s'était passé dans le manoir du professeur Ludwig Von Méduz. Je leur ai expliqué à quoi ressemblait son inquiétante demeure, perchée au sommet d'un précipice, et son laboratoire secret, où il faisait les expériences les plus folles. Je leur ai décrit la pluie battante, les orages incessants, les éprouvettes bouillonnantes, les bocaux par

centaines contenant des organes prélevés qui bougeaient toujours.

— Mais voilà, ai-je expliqué ; le professeur Ludwig Von Méduz s'ennuyait à mourir dans son manoir. Jamais personne ne venait le voir. Il faut dire que ses expériences ratées faisaient trop marrer les autres savants. Dans ce monde imperméable à son génie, il trouvait son seul plaisir dans la dégustation de gros gâteaux de gélatine.

— Hmm !... Heureusement qu'il avait ça, a commenté Horace en se pourléchant les babines.

— Tu l'as dit, Rikiki ! Jusqu'au jour

où lui est venue son idée la plus folle : donner vie à ses friandises préférées, afin d'avoir un peu de compagnie.

— Pas idiot, a dit Big Bang, qui notait déjà l'idée. Et alors ?

— Von Méduz avait installé un paratonnerre sur le toit de son manoir et il l'avait relié avec des fils de cuivre jusqu'à une petite centrale électrique, installée au cœur de son laboratoire.

Big Bang avait déjà tracé dans sa tête le plan des dérivations électriques ; il m'a relayé :

— Je devine la suite : il a placé ses gélatines sur un plateau métallique et il

les a reliées à des électrodes branchées sur sa centrale. C'est ce que j'aurais fait, moi aussi.

— Bien vu, Big ! Dès qu'un éclair a frappé le paratonnerre, la décharge électrique est descendue par les spirales de cuivre jusqu'aux confiseries inertes.

— Les pauvres, a soupiré Horace.

— C'est pourtant bien comme ça que ça s'est passé. Les gélatines, sursautant sous l'impact, s'étaient mises à couiner comme de vrais petits rats de laboratoire. Le professeur avait réussi ! Mais il avait alors commis une grave

erreur : il s'était précipité sur l'une de ses petites protégées pour la prendre dans ses bras.

J'ai pris un ton plus grave pour aborder la suite :

— Si les gâteaux sont bien devenus

des créatures vivantes, Von Méduz avait sous-estimé la puissance de la foudre. En voulant chatouiller une de ses créatures, il s'est pris une décharge électrique super urticante. Les gélatines avaient pris vie, mais n'étaient pas terribles comme animaux de compagnie.

— Ben qu'est-ce qu'il a fait, alors ? a demandé Horace qui aurait bien suçoté

son doudou.

Déclamant comme un tragédien antique dans un théâtre grec, j'ai récité la fin de l'histoire :

— Von Méduz, le cœur brisé, a dû aller se débarrasser de ses bestioles en les jetant dans l'Océan. La seule chose qu'il a laissée à cette erreur de la nature, ce fut ... son nom !

Elle m'avait toujours éclaté, cette légende.

J'ai secoué la tête pour m'arracher à mon rêve. Le conteneur débordait maintenant de matière gluante, et le surveillant en chef nous est tombé dessus en s'excitant :

— Allez, Allez ! On ne rêvasse pas… Direction l'incinérateur !

On a obéi, mais on n'était pas très fiers de pousser ainsi notre troupeau de méduses innocentes vers une mort certaine. J'ai soupiré :

— Vous imaginez les gars, tout ce chemin parcouru par ces pauvres bêtes ? Quel gâchis !

Big Bang a essayé de nous regonfler le moral :

— La situation n'est pas désespérée. J'ai lu dans *Biomagazine* qu'elles étaient très résistantes en dehors de leur milieu naturel.

En s'y mettant à trois, on a réussi à faire avancer le conteneur, et ce n'était pas facile, avec les roues qui patinaient dans le sable. En passant à côté de papy, on l'a entendu grogner ; il semblait bloqué sur une nouvelle définition :

— Hum-hum... « Cri que l'on pousse lors d'une douleur subite », en quinze lettres avec trois Z ? Ça alors, c'est pas banal !

Quelques instants plus tard, Piotr a voulu faire le malin sur le plongeoir de la piscine du club. Il a attendu d'avoir un peu de public, et il s'est mis en posi-

tion, prêt à effectuer une sorte de saut de l'ange.

— Admirez le style ! a-il lancé à la cantonade.

C'est en l'entendant frimer qu'on s'est retournés et qu'on a réalisé ce qui allait se passer. Dès que je l'ai aperçu, suspendu entre ciel et terre, j'ai essayé de l'arrêter :

— NOOOOOOOOOON !!

Mais l'attraction terrestre et la force de la pesanteur l'ont aimanté vers le bas. On a entendu un grand plouf et des éclaboussures aux reflets rosâtres ont rejailli sur les bords de la piscine.

Je me suis mis à courir, Horace et Big Bang sur mes talons, mais je savais que c'était déjà trop tard. Un cri déchirant a lacéré le silence de cette tranquille fin d'après-midi :

— GZAGAGZAGAZOUÏE !

Encore une fois, papy venait d'avoir la réponse à sa question de mots croisés. Mais nous, on se sentait assez mal.

On avait un peu triché ; le génocide des méduses, ce n'était pas notre truc. On en avait sauvé une partie en les déchargeant discrètement dans la piscine. Du coup, Piotr barbotait maintenant au milieu de plusieurs milliers de fila-

ments urticants. On aurait dit une scène coupée du *Retour des monstres mortels de la planète molle*.

Les filles ont essayé de lui tendre la main, mais Piotr était en pleine panique. Il avait les yeux tellement gonflés qu'il ne voyait plus rien et n'arrivait même plus à articuler.

— Des béduzes, z'est blein de béduzes…

Affolée, Carole a aperçu une bouée Rikiki à côté d'elle :

— Le pauvre !… Une bouée ! Il lui faut une bouée, vite !

Océane l'a aidée et, à deux, elles ont

balancé la bouée dans l'eau. Le problème, c'est que Horace était toujours à l'intérieur. Dès qu'il a touché l'eau, ça lui a fait le même effet qu'à Piotr :

— GZAGAGZAGAZOUÏE !

Ce qu'on imaginait pas, c'est que les deux zigotos étaient aussi allergiques l'un que l'autre aux substances toxiques des méduses.

Quand on a réussi à les sortir de là, ils étaient recouverts de grosses boursouflures poilues. Horace avait tellement enflé qu'il ne pouvait plus se dégager de sa bouée. On a dû la dégonfler doucement. Pendant l'opération, il a fait

une petite crise de nerfs, répétant sans arrêt :

— Kid ! C'est moi ! Je ne suis pas un éléphant de mer ! Je suis un être humain !!

Oui, enfin, dans un sale état, l'être

humain, et pas franchement appétissant ; même sa mère serait passée devant lui sans le reconnaître ou bien se serait enfuie en hurlant. Du côté de Piotr, ce n'était pas plus brillant. Le surveillant de plage, appelé à la rescousse avec son matos de première urgence, le recouvrait de mercurochrome.

— Ça arrive quelquefois avec les

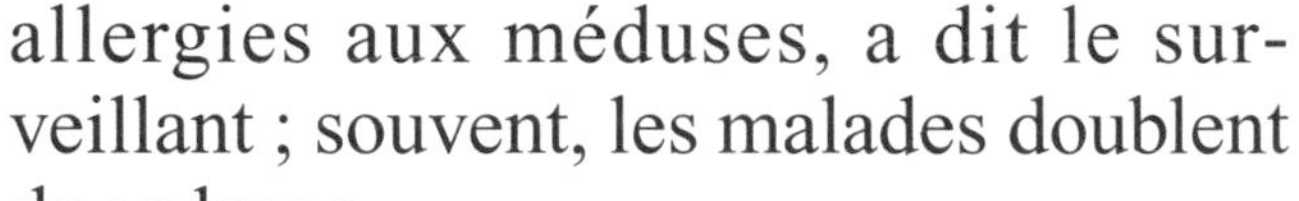

allergies aux méduses, a dit le surveillant ; souvent, les malades doublent de volume.

Et puis on a assisté au retour de papy, son transat sous le bras, l'air content à mort de sa journée. Tout ce qu'il a trouvé à dire en voyant notre copain, ça a été :

— Hé bien, mon p'tit Horace, tu as

pris des couleurs !... Ça te fait du bien, toi, au moins, l'air de la mer !

Après, il s'est adressé au surveillant chef :

— Monsieur, je vous remercie d'avoir pris soin de ces garnements.

Vous savez ce que c'est : à cet âge, on a tant de mal à les faire obéir !

— Comme vous dites ! a opiné le sauveteur, qui en avait pourtant vu d'autres. Par contre, ce que je ne savais pas, c'est que vous étiez le chef d'expédition !

Ravi d’avoir monté en grade, papy a souri. Il nous a dit que c’était bientôt l’heure du retour et qu’il fallait qu’on se dépêche. Un quart d’heure plus tard, on était de retour sur le parking, prêts à embarquer dans le car qui était revenu nous chercher.

8

Nos malades avaient passé le plus dur. Ils allaient un peu mieux mais étaient toujours aussi repoussants. Horace tenait à la main la bouée dégonflée de Rikiki le canard. On l'a accompagné jusqu'au fond du car. Là, on lui a installé un petit coin où il serait peinard pendant le trajet. On avait surtout peur qu'il effraie les petits enfants.

Avant de monter dans le car à son

tour, papy s'est excusé auprès du surveillant de plage :

— Je vous promets d'avoir un œil sur eux la prochaine fois.

— Promettez-moi plutôt qu'il n'y aura pas de prochaine fois, a espéré le surveillant, épuisé.

Quant à Piotr, le visage déformé comme un alien atteint de *pustula*

purulantix, il s'est approché de Carole et Océane pour leur faire la bise.

— Allez les filles ! À la prozhaine ! On z'fait la bize ?

J'ai cru qu'elles allaient tourner de l'œil, les pimbêches. Carole a levé le bras contre son visage dans un mouvement réflexe. Elle a dit:

— Euh ! Ce serait peut-être plus prudent de juste se serrer la main…

— Et encore… s'est excusée Océane en reculant de deux pas.

Elles lui ont fait une sorte de « coucou » à distance, et se sont dépêchées de venir se mettre à l'abri dans le car.

Piotr a gardé la main tendue un moment, bêtement, l'air tout triste. Ca m'aurait fait mal au cœur en temps normal, mais là il était vraiment devenu trop moche.

— Les garçons, a fait papy quand le

car a démarré, je compte sur vous pour retenir la leçon : je veux entendre les mouches voler jusqu'à notre arrivée !

Horace a rechaussé ses lunettes noires qui lui donnaient l'air d'un insecte. Il a dit :

— Botus et méduz couzzzzue.

Alors papy s'est tranquillement replongé dans une nouvelle grille de

mots croisés. Rassuré, il a ajouté :

— Hé ! hé ! un peu d'autorité, ça a toujours son petit effet. Bon, alors, première définition, en huit lettres, commençant par un R : « Jamais devant, toujours derrière »...

En soupirant, j'ai lâché:

— Remorque...

À ce signal, on s'est retournés tous

les trois, collant nos nez contre la grande vitre au fond du car. Il semblait tenir le coup, le conteneur qu'on avait attaché à l'arrière. Personne n'aurait pu imaginer qu'il trimballait un vrai bouillon de culture de méduses. Per-

sonne, à part la ribambelle de mouches vertes qui bourdonnait au-dessus. C'était une idée de Big Bang qui voulait à tout prix en ramener chez lui pour des expériences.

— Vous croyez qu'elles vont supporter le voyage ? me suis-je inquiété.

— Ben bien zûr ! a bourdonné Horace. Une béduze, z'est plus rézistant que n'importe quoi ! Z'est grâze à leur zquelette, ze crois... Dis, t'en a déjà autopzié des béduzes, toi, Big Bang ?

Big Bang lui a tapoté l'épaule, en soupirant :

— Allons, reste calme, Horace ! Sinon, en plus de ton allergie, tu vas finir par te déclencher un eczéma !

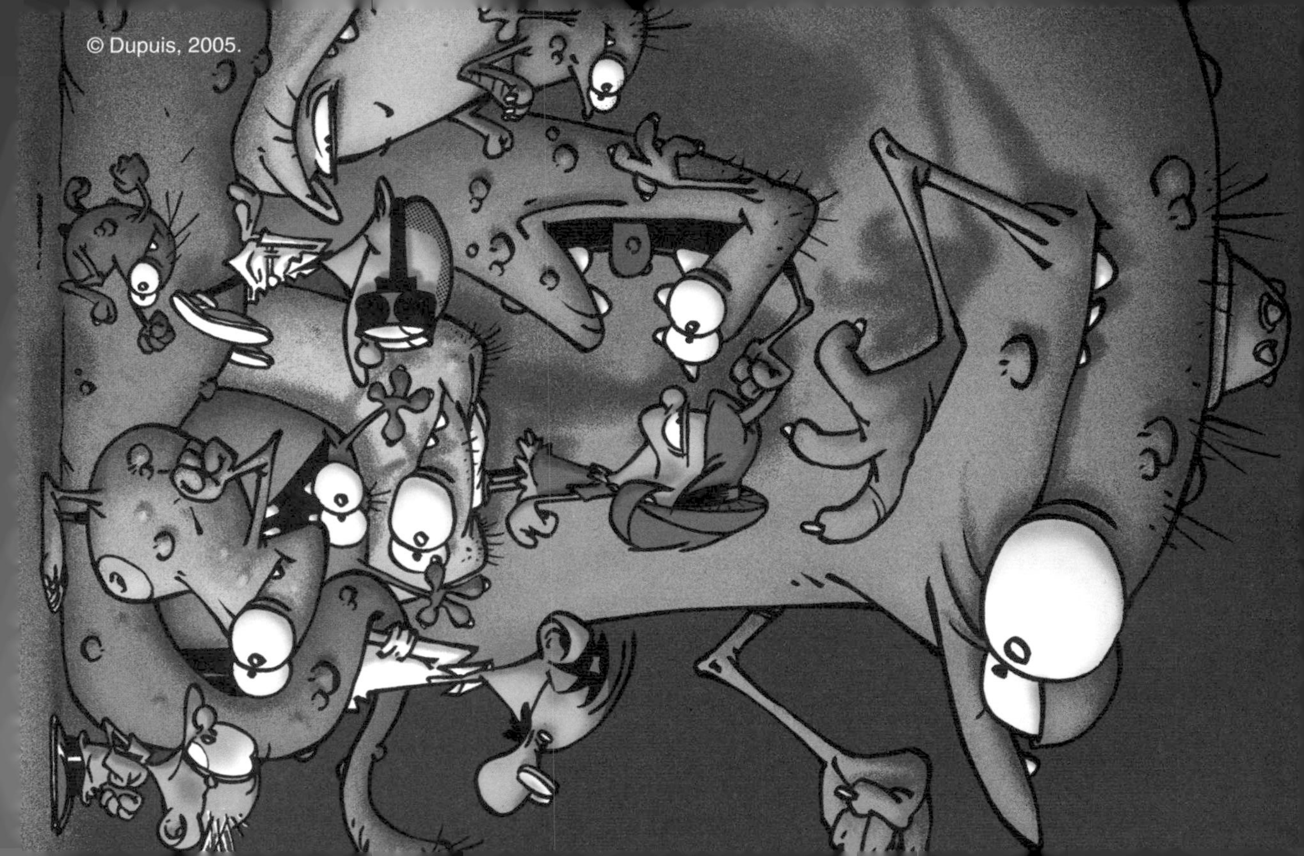

© Dupuis, 2005.

www.kidpaddle.kidcomics.com www.dupuis.com

Découvre les produits délirants de Kid Paddle.

www.kidpaddle.kidcomics.com

Kid Paddle
Mission quasiment impossible
Kid Paddle
Menace arachnide
Kid Paddle
Les évadés de la colo
Kid Paddle
Train-train fantôme
Kid Paddle
Record maximum
Kid Paddle
Lapin-Garo
Kid Paddle
Médusé beach

BIBLIOTHÈQUE
VERTE

Kid Paddle
Midam
Une semaine d'enfer !
HACHETTE Jeunesse

L'ENCYCLO
Kid Paddle
Midam
HACHETTE Jeunesse

Midam © Dupuis, 2005.

Pour continuer le délire, retrouve Kid et toute sa bande en Bibliothèque Verte, dans "Une semaine d'enfer !" et dans "L'Encyclo Kid Paddle".

Retrouve aussi
tes héros préférés
sur Canal J !

Titeuf

Lucky Luke

Cédric

Kid Paddle

Canal J

rtout sur le câble et CANALSATELLITE

« Pour l'éditeur, le principe est d'utiliser des papiers composés de fibres naturelles, renouvelables, recyclables et fabriquées à partir de bois issus de forêts qui adoptent un système d'aménagement durable. En outre, l'éditeur attend de ses fournisseurs de papier qu'ils s'inscrivent dans une démarche de certification environnementale reconnue. »

Imprimé en France par Jean-Lamour - Groupe Qualibris
Dépôt légal : mars 2008
20.07.1036.1/04 – ISBN 978-2-01-201036-9
Loi n°49-956 du 16 juillet 1949
sur les publications destinées à la jeunesse